# vaar maar

## Stefan Boonen
## tekeningen van An Candaele

Zwijsen

sis

sem

pim

sem?

is sem er?

pim?

is pim er?

pim is ver.
sem is ver.

sem is sip.
pim is sip.

vaar maar, vis.
raar!

vaar maar, aap.
raar!
maar!

sem, is pim er?

pim, is sem er?

mis, sem.
sem is sip.

mis, pim.
pim is sip.

vaas?
maar sem.

mes?
maar pim.

vaar maar, sem.
vaar!

sis

sis!
rem maar, pim.
rem!

sis is er.

pim is er.
sem is er.

## Serie 1 • bij kern 1 van Veilig leren lezen